句集

微笑佛《びしょうぶつ》

Setouchi Keishu

瀬戸内敬舟

深夜叢書社

瀬戸内神佛昇花

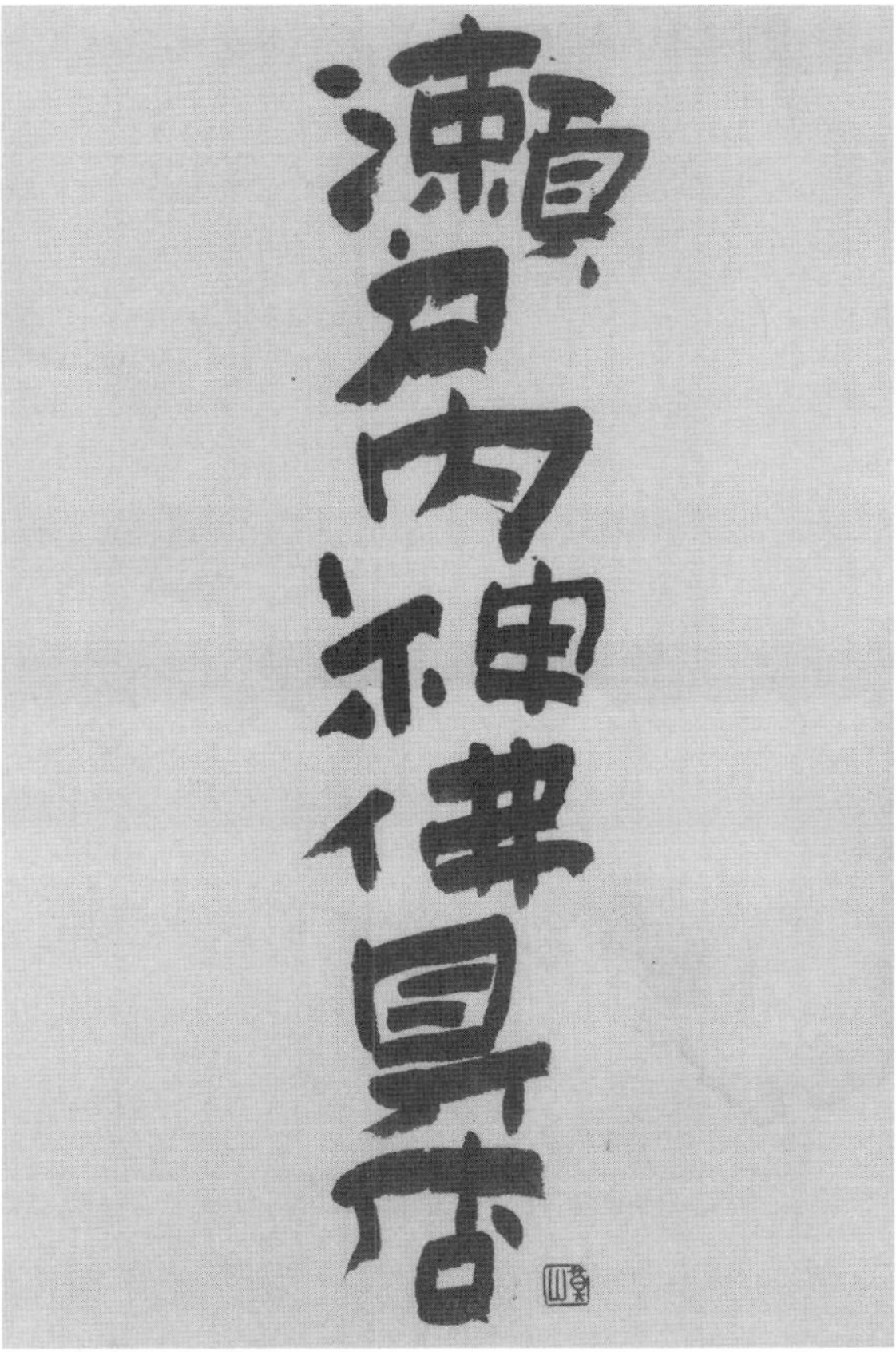

榊莫山書

句友　瀬戸内敬舟さんの御霊《みたま》に

「春星座《はるせいざ》瀬戸内《せとうち》敬舟《けいしゅう》微笑佛《びしょうぶつ》」

黒田杏子

「はあちゃんの最期は私が看とります」

いつも何度もおっしゃっておられたのに、敬舟さん、寂聴先生より先に旅立ってしまわれましたね。

私は八十年の人生で出合った方々の中で、敬舟さんほど優しく、心のあたたかい人を知りません。

「藍生」の四国遍路吟行の折に、お遍路さんの一式すべて〈瀬戸内神佛具店〉のもので私に整えて下さいました。この吟行、私たちは、ゆっくりと時間をかけて、八年を以って満行しました。

あるとき、敬舟さんと岡村藍さんと三人で前日に吟行したことがあります。

「俳句は好きやけど、詠むのは大変」とおっしゃるので、「ほら、いま啼いたでしょ。あのほととぎす。〈時鳥〉という季語で作ってみて下さいよ」と申し上げたところ、

《佛壇のひとつ売れたるほととぎす》と即座に詠まれて、顔中で笑ってよろこんでおられました。

《佛壇のもひとつ売れた時鳥》

どっちがいいですかねえ。とハハハハと全身で笑って句帖に書かれて……。

また、あるお寺でベンチに坐って休んでいたとき、眼の前をすぎてゆく一団のお遍路さんの鳴らす鈴の音がとても澄んでいて美しいので、「私の頂いた鈴の音より上品ネ」と言いましたら、敬舟さんにこにことした「先生、それは値段が違う。あの鈴は高いんよ」とまた全身で笑っておられました。次にまた吟行でお目にかかると、

「ハイ、これ高い鈴です」と。

いつも机の上に置いて、ときどき鳴らして聴いています。こころが洗われます。

敬舟さんの句は、ことばに独特の力があって、個性的。「藍生」の新人賞もとって頂きました。ずっと考えていたこと。

徳島の「藍生」の皆さん、加治尚山さんや岡村藍さん達のご協力も得て、私は遠からず『瀬戸内敬舟句集』をまとめたいです。タイトルは「微笑佛」としたいです。敬ちゃん、私は敬舟さんほどの〈ほほえみ〉、〈笑顔〉の人を知りませんので……。

気が付けば春星座。満天に春の星がまたたいています。ほほえんでいます。

敬舟さんを想えば、こころが灯ります。貴方に逢えた人生に感謝しています。

ありがとうございました。


（平成31年2月4日　告別式にて）

目次

◉句友より

カバー装画——伊藤若冲
装丁——髙林昭太

句集

微笑佛《びしょうぶつ》

瀬戸内敬舟

一九九八——二〇〇三年

生かされて今年還暦初暦

◉一九九八年

開眼は花咲く頃と決めにけり

◉一九九九年

余生とて一生懸命花は葉に

初蟬やいかにこれから生きますか

寂石に誰か花びら置きにけり

◉二〇〇〇年

卯波立つ寂信さんと逢ふ岬

逆光の海のまぶしき花御堂

いま渦の静まり返る野分前

◉二〇〇一年

箝濁の弥陀は千年八重桜

深吉野の桜は星になるといふ

野の花が好きと五月の風入るゝ

マンボウに会ひそこねたる樟若葉

無農薬地帯毛虫らジャンプせり
闇の世に飼ひし鈴虫放ちけり

あの人の燈籠が行くじつと見る

馬追や高野見あぐる旅の僧

天竺の向うの話初時雨

小春日や経聴いてをる黒き猫

狭すぎる空蒼すぎる水仙郷

◉二〇〇二年

それぞれに桜自慢の僧ふたり
花が散る阿波より強き土佐の雨

誰が為に咲き継ぐ山の桜かな

芍薬を支ふる茎の細かりし

もう少し話したかつた春を逝く
町筋に迷ひて螢何処より

星呑みし青年空海男梅雨

鈴の音を指先に聴く秋遍路

竜胆を踏まねば行けぬ天台寺
落慶の餅は手渡し秋時雨

聖観音尼僧の法話山紅葉

賢治の字見て泣く友よ小六月

誰よりも早く願掛け冬来たる
しぐるるときては急ぐ最御崎

◉二〇〇三年

だんだんに啼くうぐひすに馴れてゆく

杖持てば人みなやさし初桜

凜凜しかり三寸ほどの甘茶仏

旧暦を守る山びと灌仏会

微意と書く老僧仏具店の夏

一瞬の静けさもあり蟬しぐれ
こと終へて蜩聴きに吉野川

紅葉狩少しは歩こうかと思ふ
ポケットの句帳へ紅葉二三枚

秋霖や賢治の会の古代米

枯野行く遍路の輪袈裟濃紫

投句後のわづかな至福日向ぼこ

二〇〇四——二〇〇七年

うまの合ふ友集まれり初座敷

◉二〇〇四年

あるがまま気張ることなく初商

極くわづか唇を開ける雛買ふ

何もかも忘れてしまふ夕桜

時は今四国全州山笑ふ

古里はブータンとかや白牡丹
バラの棘削り仏の御前に

憲法記念日今こそ九条守らねば

西行もわれも旅人五月雨るる

鷺草にモラエスの髭重なりて
足摺は遠き国なり黒揚羽

京都にも奈良にも行かず冷奴

墓洗ふ心の垢も洗はんと

原爆忌撞く釣鐘の小さくて

ふり向けばあれが石鎚むかご飯

しののめの阿波なる空の鰯雲

団体で行くより独り冬遍路

鳥に声人に心よ冬に入る

屋根見えて次の札所や日短

初暦八白土星今年白

◉二〇〇五年

風荒らぶ淡路に掛かる冬銀河

着ぶくれて蕪村も吾も丈五尺

草田男も三鬼も読めず冬終る

坊守の微笑ふたたび桜梢

花満開苦行の釈迦を拝しけり

花の宴醒めたる我が一人居て

我立てり空海着きし浜の夏

西安の夕暮れ遅き柘榴かな

西安の遅き落日柘榴割る
阿波踊子どもなれども腰落とし

生国は眉山でござる小鳥来る

結願は次の始まり霧氷林

初観音行かねば長き長き坂

◉二〇〇六年

頭に受けし三月の風やはらかし

心経殿蜂須賀桜今三分

霾や土佐の浜子に逢ひ別れ

雨上がるあそこもここも山笑ふ

話し合ふ途中飛び立つ天道虫

送り火をひとりで見しと京だより

夕月をひよいと背負いて岩手山
京都より吉報届く菊日和

旅立ちを導き給へ秋あかね

石蕗の花門柱にある投句箱

尚山に紅葉の国で起こさるる

◉二〇〇七年

自づから正座してをり初硯

盆栽の真赤な梅を買ひにけり

保津川の波高くして春の雪

寝ころんで一句ひねろか花むしろ

毛氈の厚さは五分ぞ御開帳
すぐ傍にお大師様の岩清水

老鶯の一声勤行始まりぬ

阿波踊太鼓眉山にこだまして

二〇〇八——二〇一七年

初日の出海はこんなに碧いのか

◉二〇〇八年

何もないことも幸せかたつむり

自由こそ我が旗印風光る

「いつちようら」くぐり抜けたり風五月

＊いっちょうら（ICCHORA）……徳島市の新町川水際公園に建立された、寂聴さん文化勲章受章の記念碑。流政之氏制作。鳥居の形で人がくぐれる。

冬初め写経の筆を洗ひけり

◉二〇〇九年

真夜中に京へ急げり春の雪

◉二〇一〇年

一瞬の桜吹雪の中に居て

◉二〇一一年

寂庵に人の声あり柿若葉

◉二〇一二年

初夢の吾は曽良なり光堂

臘梅や塗香の如き薫りして

骨を抜く名人在りき鮎料理

炎天や修行大師の立姿

会長と突然呼ばれ流灯会

咲く時はいつせいに咲く曼珠沙華
湯豆腐や手相がよいと言はれても

珈琲は無糖と決めて山眠る

◉二〇一三年

敬さんと名を呼ばれたり初日の出

ふり向けばもう闇の中しだれ梅

放哉が好きなあなたに寒見舞

如月の夢ガンジスで沐浴を

初蝶やよき一生を送られよ

足踏みの桜一斉に開花

ほととぎす君の強さを貸してくれ

若鮎のまつ逆さまに焼かれゆく

なつかしき本屋の匂ひ梅雨に入る

枯蟷螂四谷怪談より怖い

蟬や蟬落ちてまつすぐ亀の口

忘恩とすぐそばの鐘夕時雨

病窓においらの眉山笑ひけり

◉二〇一四年

燕とぶ札所の横の仏具店

早く来よ牡丹寺からの電話

梅雨に入るオー・ヘンリーをもう一度

口中に飛び込んで来し走り蚊め

梅雨晴間杏子センセに電話する

阿波踊四日間では短くて

ロボットが吾より上手阿波踊

四寸の青き守官と眼が合ひぬ

長男と京都に急ぐ神無月

どこにでも飛んで行けるよ冬の蝶

もぎたての柚子十五ヶの柚子湯かな

◉二〇一五年

大朝寝してリハビリに間に合はず
鐘の音を一緒に聴けりかたつむり

長靴と炭焼き小屋と大賀蓮

街すべて大きな桟敷阿波踊

あの人に連絡できず雪螢

◉二〇一六年

道の駅桜の小枝を買ひました

牡丹が好きだつた母四十年忌

夕暮れてあぢさゐと聴く鐘の音
暖かき手を持つ人は観世音

◉二〇一七年

あぢさゐやすきならすきといつてくれ

句友らと喰ひたし鮎のフルコース

いただきぬ茅の輪御守値衣さんに

◉句友より

敬舟兄を悼んで

阿部榮次

瀬戸内敬舟先輩、積徳院法山敬光居士。貴方は私にとって人生の先輩であり、大学の先輩、ロータリークラブの先輩、また俳句のお先達でもあったというように、全てにわたってご指導ご鞭撻いただき、私どもが全幅に信頼を寄せ、私淑するに値する兄貴のようなお方でした。

貴方が先に逝かれ、寂聴先生のお嘆きはいかばかりか、傍目にも見るに堪えられませんでした。貴方は寂聴さんの甥であることを誇るでもなく、四六時中肉親の情をもって仕えられ、寂聴さんに可愛がられました。寂聴記念碑にしても、「寂聴の文学記念碑が一つもないのよ」と嘆かれ、私どもが建設の栄を担ったのでした。

貴方は、本当に天衣無縫の方でした。俳句とゴルフとカラオケを嗜み、上からは愛され下からは慕われ、全ての女性から好意をもたれ、何をしても人から憎まれませんでした。四方に敵がいないばかりか、貴方を悪く言う人は一人もいませんでした。金銭の計算には無頓着で、仏も現世で生活すればされたであろう苦労はなされたかも知れませんが、何事にも飄々と挑みながら常に心は淡泊で、自由闊達に振る舞われました。
そういう貴方は、今も我々の心の中に燦然と光を放ちながら生きています。彼の世でも、たぶん自由奔放に振る舞っていらっしゃることでしょう。

杖持てば人皆やさしき初桜　　敬舟

いい句ですね。

悠然と瀬戸内敬舟天翔る翼を広げ春の蒼天

敬舟さんとお地蔵さん

岡村　藍

ずいぶん前のことになるが、今は亡き主人が瀬戸内神仏具店で可愛らしいお地蔵さんを頼んで来たという。

しばらくすると、敬舟さんが二体の石のお地蔵さんを門冠りの松の木の根元に据えて「お地蔵さんも喉が渇くけんな、このお湯呑みはサービスでよ。」と二個置いていかれた。それ以来、毎朝門扉を開けにいくたびに、お真言を唱え、お水替えをするのが日課になった。すると、ときには、お地蔵さんがうれしそうなお顔に見えたりする。また、早朝、夕暮れ時に人知れず願掛けをする人をガラス戸越しに見かけることもある。

この二体のお地蔵さんが来てからというもの、四季折々に帽子・前掛けを替えるのが私の楽しみの一つとなった。眉山から鶯の初音が聞こえるころとなり、今年はどんな帽子・前掛けにしようかと思い始めている。

この寺になくてはならなくなったお地蔵さん、これからも大切にお祭りしていきたいと思っている。

尼さまの深き祈りや梅開く
敬舟さん、ありがとう。
南無大師遍照金剛
合掌

敬舟さんの声

岡村　遊

　全ての出合いは杏子先生の勉強会と四国遍路吟行でした。早朝から車に乗せていただき、行く先々で美味しいものの話を聞かせていただいたのもよく覚えております。

　敬舟さんといえば、まず、私の耳の奥にはそのお声が浮かんできます。はにかんだ笑顔そのままのお声で呼びかけられると、こちらも自ずと優しい顔で振り向いてしまうのです。杏子先生を呼ぶ「せ」の後に小さな「ぇ」が入る呼び方や「藍さん」「遊さん」と呼んでくださるときに名前の間に長音が入る呼び方は、阿波弁特有ののんびりした言葉遣いと相まって敬舟さん独特の言葉になるのです。

「せぇんせぇの選もらったの、ええなぁ。」

「ええのんでけたか？　一句頂戴。」

そんなふうに声をかけられた藍生とくしまの句友は、一人や二人ではないはず。そのうえ、どの言葉にも抜群の笑顔が付いてくるのですからたまりません。俳句に必死の私の頭に一瞬で春風が吹くようで、幾度も助けられました。ご自身の俳句には難解な言葉は使われず、しかし、過不足なく季語の現場を詠まれていてお人柄そのもの。

雨上がる刈田の向う安楽寺
納経に敬舟と書く秋遍路
坊守の微笑ふたたび桜榾
まだ耳の奥に残る敬舟さんのお声に心を傾けて、今年から立春は特別な日となりました。心よりご冥福をお祈り申し上げます。

敬舟さんの声思い出に初音して

「敬舟」さん

加治尚山

遍路吟行に参加するようになって、高知の三度栗さん、宮之後さん等ユニークな俳号の由来を聞くに及び、俳号とはそんなものかと呆れたり感心したりしたものであった。

遍路吟行の途次だったろうか。早くから敬舟を名告っていた敬舟さんに、黒田主宰が「敬舟」について尋ねられたことがあった。敬舟さん曰く、「尾上柴舟が好きなんです。」

と。このあと、どんな遺り取りがあったかは記憶にないが、僕は、短歌をよくされていたご母堂艶さんの影響でもあるのかなと、勝手に得心していた。かれこれ二昔以上も前のことである。

元気者の敬舟さんではあったが、病魔には抗しきれず、惜しまれながら、冬が尽きるとともに天国に発たれてしまった。その数日後、親しかった人たちと彼の思い出を語り合う機会があった。このとき、俳号を「敬舟」としたのは、歌人尾上柴舟を敬舟さんが単に俳人と思い違いをしていたからだと聞かされた。迂闊にも、尾上柴舟俳人説が敬舟さん独特のユーモアだと気づいたのは、しばらく後のことであった。今ごろ天国でほくそ笑んでいるに違いない。それにしても、あの天性の笑顔は、いつでもどこでも、巧まずしてたくさんの人を虜にして放さなかった。

合掌

句敵よ天国どうだい朧だね

敬舟さんへ

西内久美子

俳句には吟行がつきものです。昔の俳人も皆、旅をしました。私は一日中家の中で仕事をしているので、俳句を作るのに苦労をしています。

敬舟さんとの想い出は、徳島での全国大会や遍路吟行、それに藍生とくしまの句会や吟行。四国に住んでいる人でも、ほとんどいったことのない伊島への吟行もありました。人は住んでいても、自動車のない島でした。そんなとき、敬舟さんと加治さんは、ほんとうに博学です。いろいろなことを教えていただきながら、汗をかきかき蚊にかまれながら山に登ったことは忘れられません。秋の紅葉狩りも、神山、那賀と連れていっていただきました。あんなに美しい紅葉を見たのは初めてのことでした。

句会で敬舟さんの句を選ばせていただいたときは、にこっと笑って「ありがとう」と言ってくださる。優しいお人柄が、どんな場合も皆を包み込んでくださり、句会はいつも楽しかったです。

句会で私が選んだ三句を挙げさせていただきます。

初酒ややつぱり止めてウーロン茶

（お身体を気遣っておられたのでしょうか。）

波を打つ蓮根畑に大落暉

（雄大な句だと思いました。）

秋の灯や何時の日に読む源氏かな

（瀬戸内源氏の完成を祝って詠まれたのでしょうね。）

敬舟さん、しばしのお別れですね。

春の星敬舟さんの笑ひ顔

山笑ふ

山本圭子

敬舟さんに初めてお会いしたのは二十二年ほど前、「藍生とくしま」のメンバーの句会のときでした。

その包み込むような笑顔と優しい声かけで初対面でも数十年来の知己に出会ったよう

な安堵感を抱かせてくださいました。神仏具店社長として、全国の顧客のもとへお仏壇を納められたりと、たいへんお忙しいご様子でしたね。

そのようななか四国遍路吟行が始まり、吟行の準備やら車の運転やら何かとお世話をしていただきました。吟行においては、その少年のような瑞々しい感性で真っ直ぐな鮮度あふれる句を瞬時に詠まれ、連衆はいつも魅了されっぱなしでした。

我に似し羅漢と笑ふ竹の秋

薔薇の棘削りて母に供へけり

着ぶくれて蕪村も吾も丈五尺

敬舟さんの句に少しでも迫りたいと願いながら、ついに叶わず、旅立ってしまわれました。

敬舟さん、今度お会いしたら、また、素晴らしい句をご披露ください。

風光る教へ給ひし道しるべ

忘れられないことばかり

藤岡値衣

あれは祖谷吟行の初日、大歩危駅に集合したときのことだった。藤平寂信さんに「敬治は」と聞かれ私は「……！」絶句。この吟行には瀬戸内神仏具店の社長さんをお誘いするように寂信さんから命じられていたのに、すっかり忘れていたのだ。

それから何年もたってから、このことをおずおずと打ち明けた私に、敬舟さんはいつもの笑顔で「ほんなん、かんまん、かんまん。」と答えてくれた。

また、徳島で全国大会を開催すると決まった年だったろうか。人間ドックで引っかかり、再検査のあと「若いから進行したら早い。手術しましょう。」と言われて落ち込んでいる私に、敬舟さんが「市民病院のY先生に診てもらい。」と勧めてくれた。Y先生は「異形細胞はあるけど、細胞は毎日生まれ変わってるからね。しばらく三ヵ月ごとに検査して様子をみましょう。あんまり神経質にならんようにね。」救われた思いでこの言葉に縋った私は、Y先生が別の病院に移られてからも定期的に診ていただき、今も生きている。

私が苦境にあるとき、敬舟さんは、いつも笑顔と温かい言葉で支えてくださった。だから、敬舟さんが句会に出てこられなくなったとき、せめて敬舟さんが作られた句を代筆して『藍生』に投句しようと考えた。それも難しくなったとき、藍生とくしまの合同句集を作ろうと決めた。俳句で少しでも敬舟さんを元気づけられたら、という思いしかなかった。

藍生とくしまの皆でお見舞いに行ったとき、帰り際に「また来るからね。」と言ったら、笑顔を作って「待っとるけんな。」と答えてくれた（もう声を出すことはできなかったけれど確かに口はそう動いた）ことを忘れない。

敬舟さん、ありがとう。大好きです。

立春の光となりて発たれけり

瀬戸内敬舟（せとうち・けいしゅう、本名・敬治）

一九三九年、一月十一日生まれ。瀬戸内寂聴氏生家である瀬戸内神仏具店代表取締役を務めた。一九九六年、句作開始。二〇〇〇年、「藍生」入会。二〇〇五年、「藍生」新人賞。二〇一九年一月三十一日没。

＊

この句集は「藍生とくしま」「徳島勉強会」所属の藤岡値衣さんの努力によって収集された作品を黒田杏子が再選句、編集・構成を担当。

◉連絡先
宮本祥子〔敬舟氏長女〕
〒七七〇―〇九〇五
徳島市東大工町二ノ十九
瀬戸内神仏具店
電話　〇八八―六二二―一七四〇

微笑佛

藍生文庫71

二〇二一年一月三十一日　発行

著　者　瀬戸内敬舟

発行者　齋藤愼爾

発行所　深夜叢書社

〒一三四—〇〇八七

東京都江戸川区清新町一—一—三四—六〇一

info@shinyasosho.com

印刷・製本　株式会社東京印書館

ISBN978-4-88032-465-4 C0092